이동천 위체서 천자문

李東泉魏體書千字文

[illegible][illegible]仁悅題

양런카이 서문 楊仁愷 序

한국 이동천李東泉 군은 천성이 영특한데 중국 서법을 깊이 좋아하는 게 마치 홀린 듯 취한 듯하다. 예술의 미묘함을 캐고 숨겨진 이치를 찾아 마음을 비우고 학문을 다스리기를 지칠 줄 모르고 꾸준히 하여 몇 년 사이에 탁월한 성과를 이루었다. 이 책은 북조北朝 위비魏碑 해서체로 썼는데 남다른 독특한 품격으로 매우 아름답다. 이에 몇 글자로 글을 지어 느낀 바를 말할 따름이다. 1995년 여름에 팔십 먹은 어리석은 늙은이 허시穌溪 양런카이仁愷가 쓰다.

韓國李東泉君, 性穎慧, 篤喜中國書法, 如癡如醉. 探微索隱, 虛心治學, 孜孜不倦, 數年間成就卓然. 玆册用魏書楷體出之, 別具風貌, 秀色可餐. 因綴數語以誌, 所感云耳. 歲次乙亥夏月, 八十拙叟穌溪仁愷書.

양런카이 楊仁愷(1915~2008)

중국의 "국안國眼"이다. "인민감상가人民鑑賞家" 영예 칭호 수여자로 중국 고대 서화 감정소조 조성원中國古代書畵鑑定小組 組成員, 요령성박물관 명예관장遼寧省博物館 名譽館長, 요령성문사연구관 명예관장遼寧省文史研究館 名譽館長, 중앙미술학원 대학원 지도교수中央美術學院 研究生導師, 인민대학 국학원 교수人民大學國學院 教授, 노신미술학원 명예교수魯迅美術學院 名譽教授, 요령성서법가협회 명예주석遼寧省書法家協會 名譽主席, 요령성미술가협회 명예주석遼寧省美術家協會 名譽主席 등을 역임했다.

韓國李東泉君性穎慧篤嗜中國
書法如癡如醉探微索隱虛心治學
孜孜不倦數年間成就卓然茲冊用魏
書楷體出之別具風貌秀色可餐因
綴數語以誌所感云耳

歲次乙亥夏月八十拙叟[illegible]汧仁惺書

시에즈류 제사 謝稚柳 題辭

한국 이동천 군은 중국 서법을 사랑하고 그리워하여 양런카이楊仁愷 노선생의 가르침을 받았다. 몇 년이 되지 않아 이 천자문을 썼는데 나이가 겨우 스물일곱이니 정말 믿기 어렵다. 1995년 11월에 베이징에서 시에즈류謝稚柳가 보았기에 쓴다.

韓國李君東泉, 愛慕中國書法, 受仁愷楊老之教. 不數年書此千文, 年纔二十有七, 信爲難能矣. 乙亥十一月在北京, 謝稚柳觀因題.

시에즈류 謝稚柳(1910~1997)

중국의 고서화 감정 대가이고 서화 대가이다. 중앙대학 교수中央大學 教授, 중국 국가문물국國家文物局의 중국 고대 서화 감정소조 조장中國古代書畫鑑定小組 組長, 상해박물관 고문上海博物館 顧問, 상해시문물보관위원회 부주임上海市文物保管委員會 副主任, 상해시문화예술연합회 비서장上海市文化藝術聯合會 秘書長, 중국미술가협회 이사中國美術家協會 理事, 중국미술가협회 상해분회 부주석上海分會 副主席, 중국서법가협회 이사中國書法家協會 理事, 중국서법가협회 상해분회 부주석 등을 역임했다.

韓國李君承
憲慕中國書法
受仁愷楊老
之教亦教書
此千文手卷二十
歲七修為精練
矣

乙亥十月在北京
謝稚柳觀題

치궁 제사 啓功 題辭

이 책의 붓놀림과 짜임새는 〈광개토대왕비廣開土大王碑〉와 〈정문공비鄭文公碑〉 두 비문 글씨의 뛰어난 필법을 참고 종합하였다. 힘은 웅대하고 굳셈을 좇아 글씨가 종이 뒷면을 뚫고 서려 하였다. 혈기 왕성한 나이에 뜻이 충분하니 보는 이로 하여금 눈을 비벼 번쩍 뜨게 한다. 치궁啓功이 삼가 적다.

此册用筆結體, 參合好大王碑、鄭文公兩碑之勝. 力追雄强, 欲透紙背立. 年壯志足, 令觀者刮目. 啓功拜識.

치궁 啓功(1912~2005)

중국의 고서화 감정 대가이고 서화 대가이다. 국가문물감정위원회 주임위원國家文物鑑定委員會 主任委員, 중국 고대 서화 감정소조 조성원中國古代書畵鑑定小組 組成員, 중앙문사연구관 관장中央文史研究館館長, 북경사범대학 교수北京師範大學 教授 박사과정 지도교수博士研究生導師, 중국서법가협회 명예주석中國書法家協會 名譽主席, 중국불교협회 고문中國佛教協會 顧問, 고궁박물원 고문故宮博物院 顧問, 국가박물관 고문國家博物館 顧問, 서령인사 사장西泠印社 社長 등을 역임했다.

此册用笔结体参合好
大王郑文公两碑之胜力追
雄强欲透纸背立年壮
志足之观者刮目 启功拜识

평치융 제사 馮其庸 題辭

이생李生은 옛것을 즐기기를 좋아하고 게다가 진심이며, 북경에 유학을 와서 배움을 애타게 모색하고 있다. 처음에는 〈정문공비鄭文公碑〉, 이어서 〈찬보자비爨寶子碑〉와 〈찬용안비爨龍顏碑〉를 배워서 글씨에 법식이 생겼다. 먹을 갈아 연못의 물은 다하였고 써서 버린 붓은 산꼭대기처럼 높이 쌓였다. 더욱이 한밤중에는 손가락으로 배에 글씨를 써서 연습하였다. 3개월을 만나지 못했는데, 내가 깜짝 놀라 눈을 비벼 번쩍 뜨게 하였다. 나에게 새로 쓴 〈천자문〉을 보여주는데, 붓의 움직임이 종이를 깊이 뚫은 것이 마치 굳센 고옥古玉을 자른 듯하다. 내가 이르길 이생李生은 게다가 나의 말을 세심하게 따랐는데, 서예를 배움에 있어서 귀함은 정통하고 박식한 것에 있다. 10년 공부로 하나의 비석을 쓰는 것은 당연하여 말할 것이 못 되고, 뱃속에 서경書境과 시경詩境이 가득하여야 자연스레 향기로운 기운이 난다. 산천을 유람하여 눈에 한가득 대자연의 신령한 기운을 담아야 글씨가 빼어나고, 붓끝이 대자연의 조화를 따라야 신령스러운 기운이 비로소 족하다. 서예를 논하는 데 있어서 마지막은 신령스러움이 있느냐 없느냐의 문제이다. 글씨에 거죽만 있고 신기가 없다면 이는 영혼 없이 걸어 다니는 육신과 같다. 당신은 산음山陰 길가에서 왕희지王羲之(303~361)의 글씨가 1,000년의 신령스러운 에너지를 내뿜어 유구한 서예의 역사를 관통하는 것을 보지 못했고, 또한 장안長安의 주점에서 술에 취한 장욱張旭(675~759 혹은 658~748)이 공손대낭公孫大娘의 '검기劍器' 춤과 어우러져 쏴쏴 소리를 내며 글씨 쓰는 것을 보지 못했다. 마침 지금 당신은 혈기왕성한 나이이니, 앞으로 10,000리 길과 같은 창창한 장래에 걸맞게 분발하기를 바란다.

한국 이동천 군은 옛것을 즐기는 게 진심으로 선양瀋陽 양런카이楊仁愷 노선생으로부터 친히 가르침을 받았다. 배움이 한층 더하여 북위 글씨의 방필方筆을 마치 고옥을 자른 듯 쓰기에 이르렀다. 양런카이 노선생이 거듭 분부하여 나에게 물으니, 이에 긴 노래를 지어 칭송한다. 때는 1996년 새해 아침, 콴탕寬堂 평치융馮其庸이 베이징의 꽈판로우瓜飯樓에서 74살에 쓰다.

李生好古嗜且篤, 負笈京華苦求索. 初臨鄭公上下碑, 繼以二爨筆有角. 池水盡墨筆成塚, 夜半猶以指畫腹. 揭來三月不相見, 使我炯然驚刮目. 示我新書千字文, 用筆深透如切玉. 我謂李生且細聽, 學書貴在精與博. 十年一碑何足論, 腹有書詩氣自馥. 江山滿目鍾靈秀, 筆參造化神始足. 論書終極在於神, 有形無神徒走肉. 君不見, 山陰道上王右軍, 千年神光破華屋. 又不見, 長安酒肆醉張顛, 筆陣劍氣兩籟籟. 君今正當在盛年, 願奮長途萬里足.

韓國李君東泉篤古嗜, 學得瀋陽楊仁愷老親授. 學益達能作北魏書, 方筆如切古玉. 楊老復囑問訊於予, 乃爲作長歌以贊之. 時在丙子歲朝, 寬堂馮其庸書於京華瓜飯樓, 七十又四.

이글은 평치융 선생께서 쓰신 〈이생학서가李生學書歌〉로 馮其庸, 『墨緣集』(黑龍江教育出版社, 2001), pp.336-337과 葉君遠, 『馮其庸年譜』(中國社會科學出版社, 2015), p.293 등에 실려있다. 『馮其庸年譜』는 "千年神光"의 '光'을 '氣'로 표기하였다.

평치융 馮其庸(1924~2017)

중국 홍루몽紅樓夢 연구의 대가로 석학이다. 사학가史學家이자 서화가書畫家로 중앙문사연구관 관원中央文史研究館 館員, 중국인민대학中國人民大學 교수, 중국인민대학 국학원國學院 초대初代 원장과 명예원장, 중국예술연구원中國藝術研究院 부원장, 중국문자박물관中國文字博物館 초대 원장, 중국홍루몽학회中國紅樓夢學會 회장, 중국희곡학회中國戲曲學會 부회장, 중국한화학회中國漢畫學會 회장 등을 역임했다. 선생의 고향인 장쑤성江蘇省 우시시無錫市에는 선생의 생애와 학술, 예술 방면의 업적을 기리는 '평치융학술관馮其庸學術館'이 있다.

李生好古嗜且篤負笈京華苦求索
初將鄭公上下碑繼以二爨筆有角池水
盡墨筆成塚粗字楷以指畫腹搨來三
月不相見使我惘然發刮目示我新書千
字文用筆深透如切玉我謂李生且細聽子
所貴在精與持十年之碑何足論腹有
書詩氣自發江山滿目鍾靈秀筆參造
化神於之論書終極在於神有形無神
徒是肉君不見內陰道上王右軍千年
神光破華屋又不見長安酒肆醉張顛
筆陣劍氣兩巍巍君今正當在盛年
那奮長途萬里足

韓國李君東泉篤古嗜學得瀋陽
楊仁愷老親授學益進能化北魏書方
筆如切古玉 楊老復囑問訊於予乃
為作長歌以贊之 時在丙子歲朝
寬堂馮其庸書於京華瓜飯
樓 七十又四

天 하늘 **천** · 地 땅 **지** · 玄 검을 **현** · 黃 누를 **황**

千字文

梁員外散騎侍

郎周興嗣次韻

天地玄黃

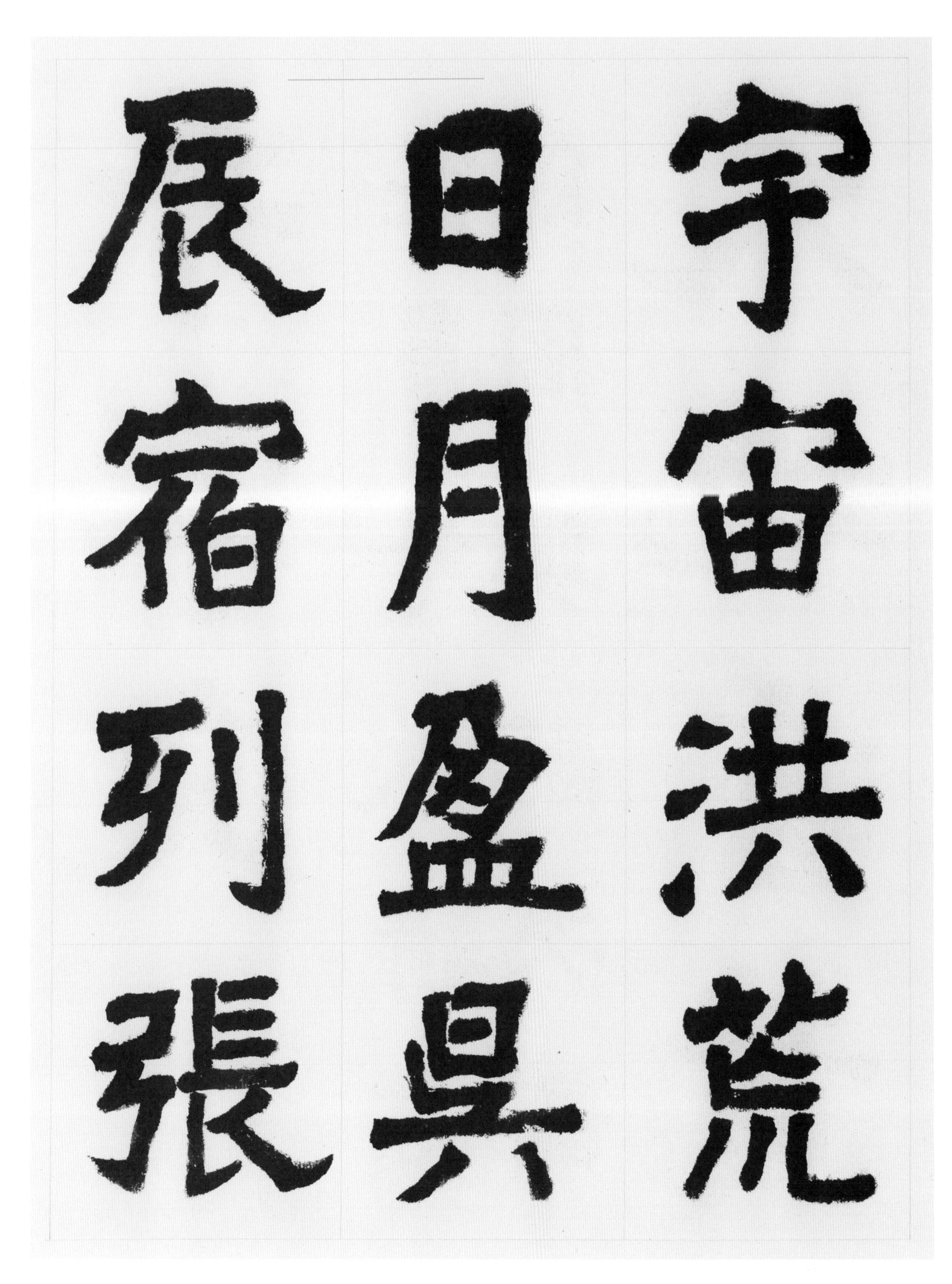

宇 집 **우** · 宙 집 **주** · 洪 넓을 **홍** · 荒 거칠 **황** / 日 날 **일** · 月 달 **월** · 盈 찰 **영** · 仄 기울 **측** / 辰 별 **진** · 宿 잘 **숙** · 列 벌일 **열** · 張 베풀 **장**

寒 찰 **한** · 來 올 **래** · 暑 더울 **서** · 往 갈 **왕** / 秋 가을 **추** · 收 거둘 **수** · 冬 겨울 **동** · 藏 감출 **장** / 閏 윤달 **윤** · 餘 남을 **여** · 成 이룰 **성** · 歲 해 **세**

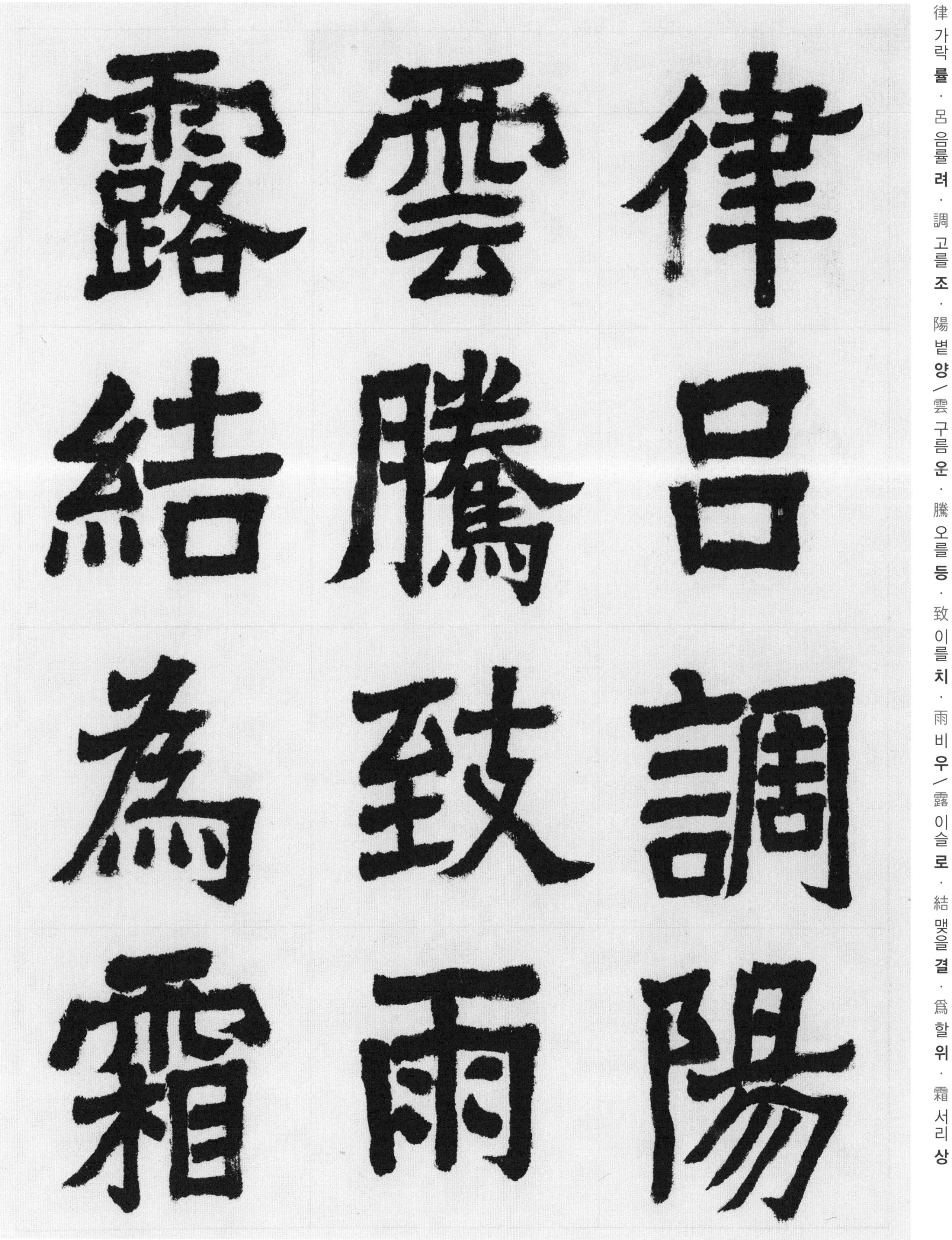

律 가락 **률** · 呂 음률 **려** · 調 고를 **조** · 陽 볕 **양** / 雲 구름 **운** · 騰 오를 **등** · 致 이를 **치** · 雨 비 **우** / 露 이슬 **로** · 結 맺을 **결** · 爲 할 **위** · 霜 서리 **상**

金 쇠 **금** · 生 낳을 **생** · 麗 고울 **려** · 水 물 **수** / 玉 구슬 **옥** · 出 날 **출** · 崑 메 **곤** · 岡 메 **강** / 劍 칼 **검** · 號 이름 **호** · 巨 클 **거** · 闕 대궐 **궐**

珠 구슬 **주** · 稱 일컬을 **칭** · 夜 밤 **야** · 光 빛 **광** / 果 과실 **과** · 珍 보배 **진** · 李 오얏 **리** · 柰 능금나무 **내** / 菜 나물 **채** · 重 무거울 **중** · 芥 겨자 **개** · 薑 생강 **강**

海 바다 **해** · 鹹 짤 **함** · 河 물 **하** · 淡 묽을 **담** / 鱗 비늘 **린** · 潛 잠길 **잠** · 羽 깃 **우** · 翔 높이 날 **상** / 龍 용 **룡** · 師 스승 **사** · 火 불 **화** · 帝 임금 **제**

鳥官人皇
始制文字
乃服衣裳

鳥 새 조 · 官 벼슬 관 · 人 사람 인 · 皇 임금 황 / 始 처음 시 · 制 지을 제 · 文 글월 문 · 字 글자 자 / 乃 이에 내 · 服 옷 복 · 衣 옷 의 · 裳 치마 상

推 밀 **추** · 位 자리 **위** · 讓 사양할 **양** · 國 나라 **국** / 有 있을 **유** · 虞 헤아릴 **우** · 陶 질그릇 **도** · 唐 당나라 **당** / 弔 슬퍼할 **조** · 民 백성 **민** · 伐 칠 **벌** · 罪 허물 **죄**

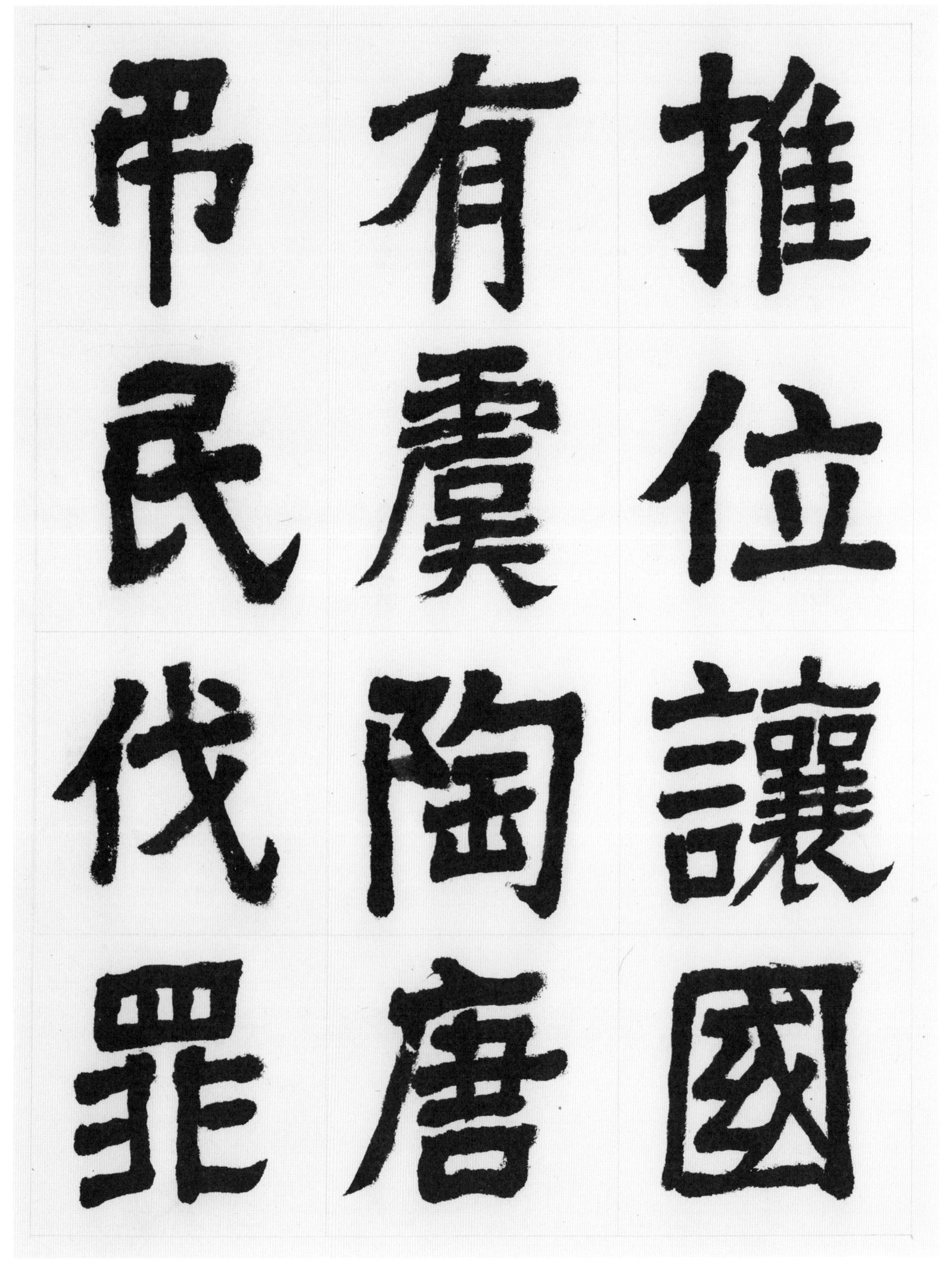

周 두루 **주** · 發 필 **발** · 殷 나라이름 **은** · 湯 끓을 **탕** / 坐 앉을 **좌** · 朝 아침 **조** · 問 물을 **문** · 道 길 **도** / 垂 드리울 **수** · 拱 껴안을 **공** · 平 평평할 **평** · 章 글월 **장**

愛 사랑 **애** · 育 기를 **육** · 黎 검을 **려** · 首 머리 **수** / 臣 신하 **신** · 伏 엎드릴 **복** · 戎 오랑캐 **융** · 羌 종족이름 **강** / 遐 멀 **하** · 邇 가까울 **이** · 壹 한 **일** · 體 몸 **체**

率賓歸王
鳴鳳在樹
白駒食場

率 거느릴 **솔** · 賓 손 **빈** · 歸 돌아갈 **귀** · 王 임금 **왕** / 鳴 울 **명** · 鳳 봉황새 **봉** · 在 있을 **재** · 樹 나무 **수** / 白 흰 **백** · 駒 망아지 **구** · 食 밥 **식** · 場 마당 **장**

化 될 **화** · 被 입을 **피** · 草 풀 **초** · 木 나무 **목** / 賴 힘입을 **뢰** · 及 미칠 **급** · 萬 일만 **만** · 方 모 **방** / 蓋 덮을 **개** · 此 이 **차** · 身 몸 **신** · 髮 터럭 **발**

四大五常
恭惟鞠養
豈敢毀傷

四 넉 **사** · 大 큰 **대** · 五 다섯 **오** · 常 항상 **상** / 恭 공손할 **공** · 惟 오직 **유** · 鞠 국문할 **국** · 養 기를 **양** / 豈 어찌 **기** · 敢 감히 **감** · 毀 헐 **훼** · 傷 상할 **상**

女 계집 **녀** · 慕 사모할 **모** · 貞 곧을 **정** · 絜 깨끗할 **결** / 男 사내 **남** · 效 본받을 **효** · 才 재주 **재** · 良 어질 **량** / 知 알 **지** · 過 지날 **과** · 必 반드시 **필** · 改 고칠 **개**

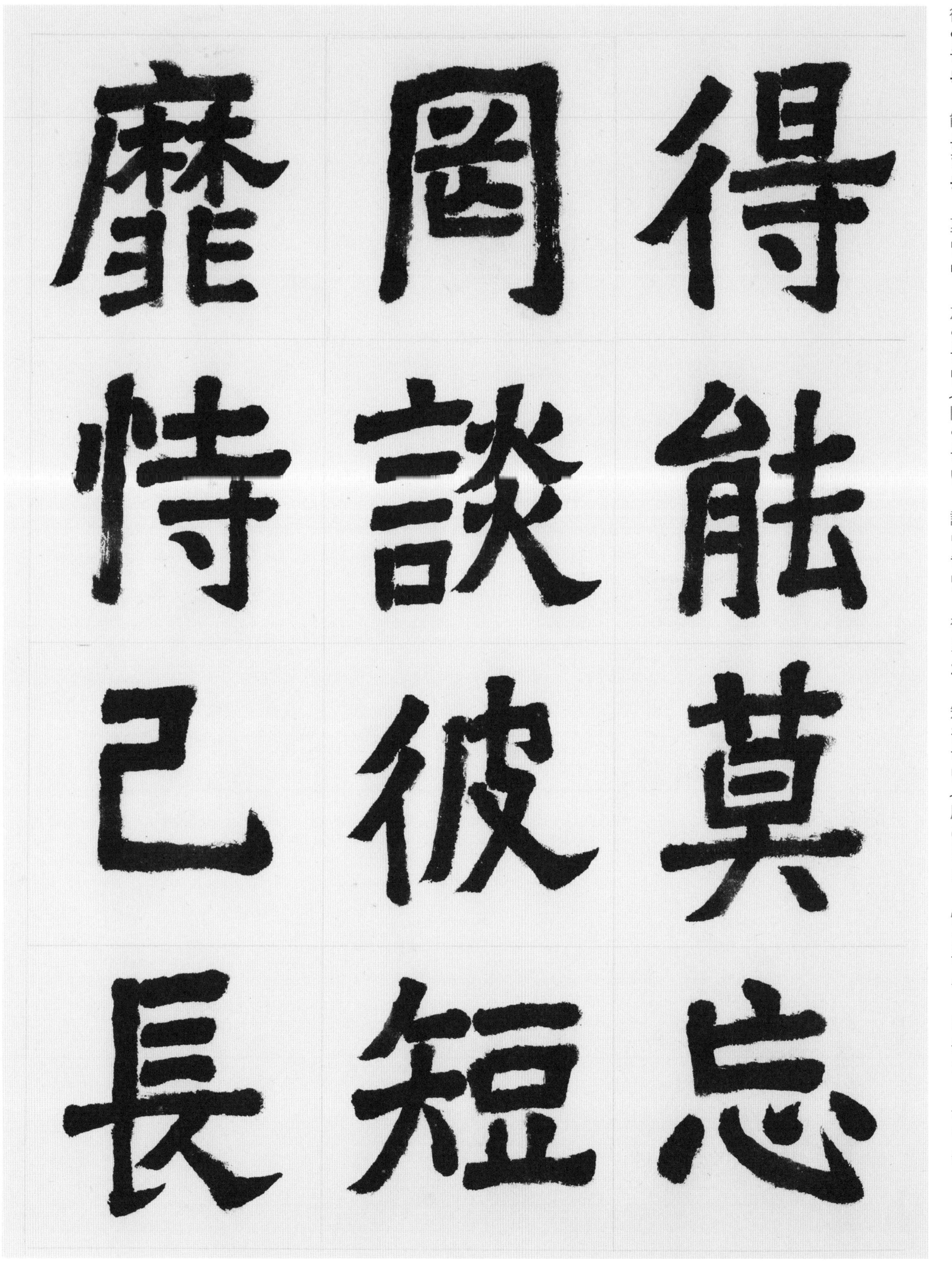

得 얻을 **득** · 能 능할 **능** · 莫 말 **막** · 忘 잊을 **망** / 罔 없을 **망** · 談 말씀 **담** · 彼 저 **피** · 短 짧을 **단** / 靡 아닐 **미** · 恃 믿을 **시** · 己 몸 **기** · 長 길 **장**

信 믿을 **신** · 使 하여금 **사** · 可 옳을 **가** · 覆 뒤집힐 **복** / 器 그릇 **기** · 欲 하고자할 **욕** · 難 어려울 **난** · 量 헤아릴 **량** / 墨 먹 **묵** · 悲 슬플 **비** · 絲 실 **사** · 染 물들일 **염**

詩讚羔羊
景行維賢
克念作聖

詩 시 **시** · 讚 칭찬할 **찬** · 羔 새끼양 **고** · 羊 양 **양** / 景 경치 **경** · 行 다닐 **행** · 維 벼리 **유** · 賢 어질 **현** / 克 이길 **극** · 念 생각 **념** · 作 지을 **작** · 聖 성인 **성**

德 덕 **덕** · 建 세울 **건** · 名 이름 **명** · 立 설 **립**/形 모양 **형** · 端 바를 **단** · 表 겉 **표** · 正 바를 **정**/空 빌 **공** · 谷 골 **곡** · 傳 전할 **전** · 聲 소리 **성**

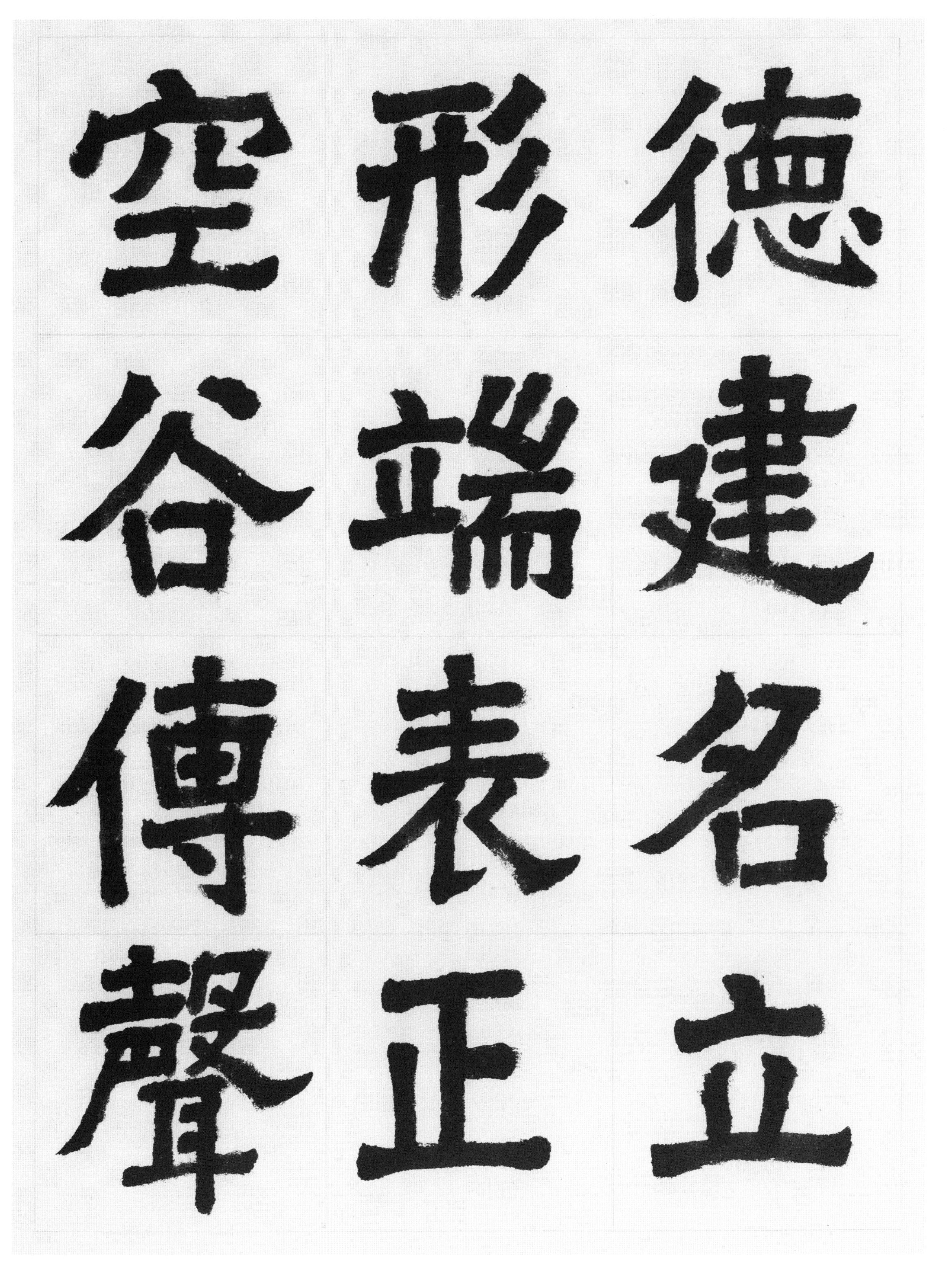

虛堂習聽
禍因惡積
福緣善慶

虛 빌 **허** · 堂 집 **당** · 習 익힐 **습** · 聽 들을 **청** / 禍 재앙 **화** · 因 인할 **인** · 惡 악할 **악** · 積 쌓을 **적** / 福 복 **복** · 緣 인연 **연** · 善 착할 **선** · 慶 경사 **경**

尺 자 **척** · 璧 구슬 **벽** · 非 아닐 **비** · 寶 보배 **보** / 寸 마디 **촌** · 陰 그늘 **음** · 是 옳을 **시** · 競 다툴 **경** / 資 자료 **자** · 父 아비 **부** · 事 일 **사** · 君 임금 **군**

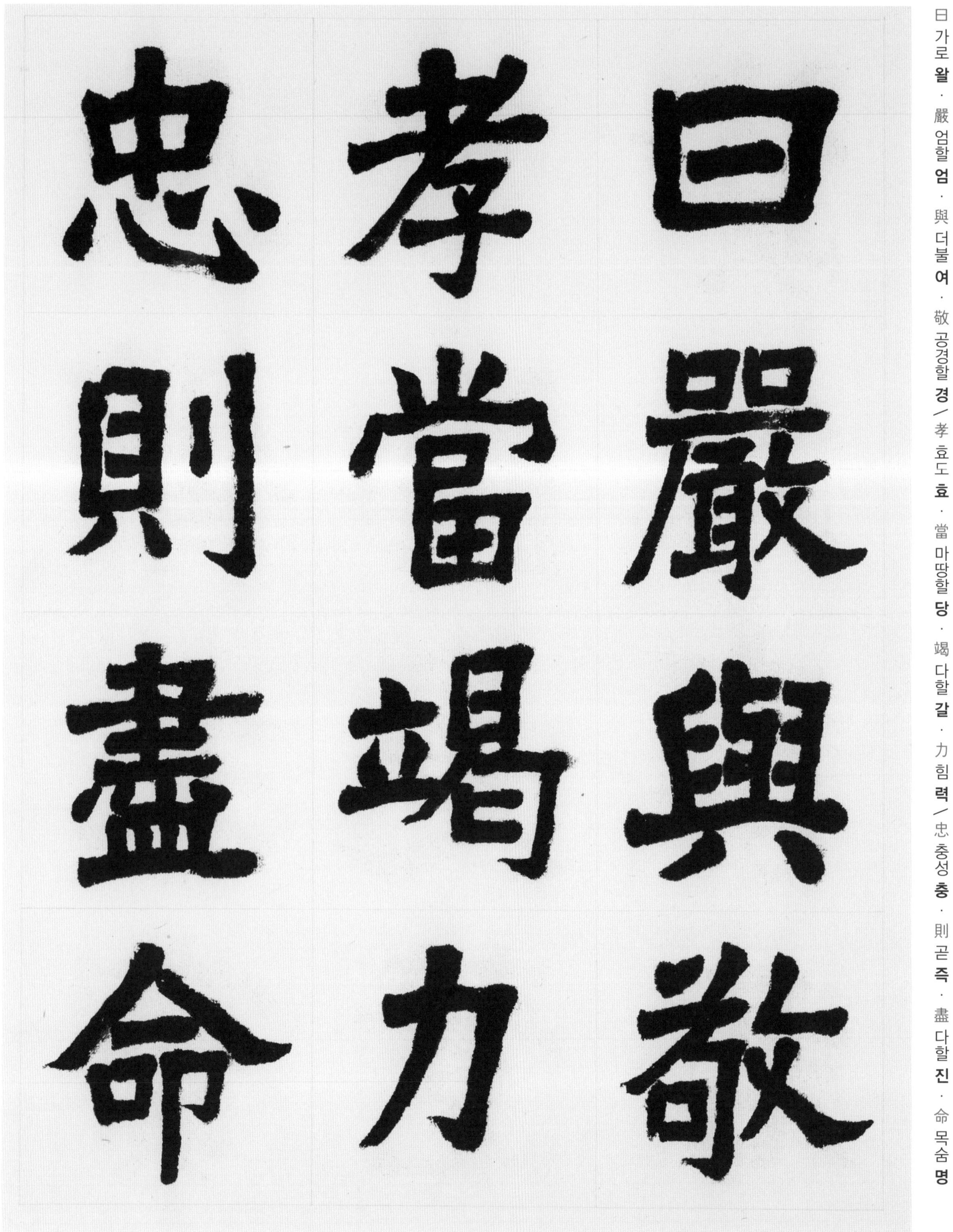

曰 가로 **왈** · 嚴 엄할 **엄** · 與 더불 **여** · 敬 공경할 **경** / 孝 효도 **효** · 當 마땅할 **당** · 竭 다할 **갈** · 力 힘 **력** / 忠 충성 **충** · 則 곧 **즉** · 盡 다할 **진** · 命 목숨 **명**

臨 임할 **림** · 深 깊을 **심** · 履 밟을 **리** · 薄 얇을 **박** / 夙 일찍 **숙** · 興 흥할 **흥** · 溫 따뜻할 **온** · 淸 서늘할 **청** / 似 같을 **사** · 蘭 난초 **란** · 斯 이 **사** · 馨 향기 **형**

如 같을 **여** · 松 소나무 **송** · 之 갈 **지** · 盛 성할 **성** / 川 내 **천** · 流 흐를 **류** · 不 아니 **불** · 息 쉴 **식** / 淵 못 **연** · 澄 맑을 **징** · 取 취할 **취** · 暎 비칠 **영**

容 얼굴 **용** · 止 그칠 **지** · 若 같을 **약** · 思 생각 **사** / 言 말씀 **언** · 辭 말씀 **사** · 安 편안 **안** · 定 정할 **정** / 篤 도타울 **독** · 初 처음 **초** · 誠 정성 **성** · 美 아름다울 **미**

愼 삼갈 **신** · 終 마지막 **종** · 宜 마땅 **의** · 令 하여금 **령**／榮 영화 **영** · 業 업 **업** · 所 바 **소** · 基 터 **기**／籍 호적 **적** · 甚 심할 **심** · 無 없을 **무** · 竟 마침내 **경**

學 배울 **학** · 優 넉넉할 **우** · 登 오를 **등** · 仕 벼슬 **사** / 攝 잡을 **섭** · 職 벼슬 **직** · 從 좇을 **종** · 政 정사 **정** / 存 있을 **존** · 以 써 **이** · 甘 달 **감** · 棠 해당화 **당**

去 갈 거 · 而 어조사 이 · 益 더할 익 · 詠 읊을 영 / 樂 풍류 악 · 殊 다를 수 · 貴 귀할 귀 · 賤 천할 천 / 禮 예도 례 · 別 다를 별 · 尊 높을 존 · 卑 낮을 비

上 위 **상** · 和 화할 **화** · 下 아래 **하** · 睦 화목할 **목** / 夫 지아비 **부** · 唱 부를 **창** · 婦 며느리 **부** · 隨 따를 **수** / 外 밖 **외** · 受 받을 **수** · 傅 스승 **부** · 訓 가르칠 **훈**

入 들 **입** · 奉 받들 **봉** · 母 어미 **모** · 儀 거동 **의** / 諸 모두 **제** · 姑 시어미 **고** · 伯 맏 **백** · 叔 아재비 **숙** / 猶 같을 **유** · 子 아들 **자** · 比 견줄 **비** · 兒 아이 **아**

孔 구멍 **공** · 懷 품을 **회** · 兄 맏 **형** · 弟 아우 **제** / 同 한가지 **동** · 氣 기운 **기** · 連 이어질 **연** · 枝 가지 **지** / 交 사귈 **교** · 友 벗 **우** · 投 던질 **투** · 分 나눌 **분**

切磨箴規

仁慈隱惻

造次弗離

切 끊을 **절** · 磨 갈 **마** · 箴 경계 **잠** · 規 법 **규** / 仁 어질 **인** · 慈 사랑할 **자** · 隱 숨을 **은** · 惻 슬플 **측** / 造 지을 **조** · 次 버금 **차** · 弗 아닐 **불** · 離 떠날 **리**

節 마디 **절** · 義 옳을 **의** · 廉 청렴 **렴** · 退 물러갈 **퇴** / 顚 엎드러질 **전** · 沛 자빠질 **패** · 匪 아닐 **비** · 虧 이지러질 **휴** / 性 성품 **성** · 靜 고요할 **정** · 情 뜻 **정** · 逸 편안할 **일**

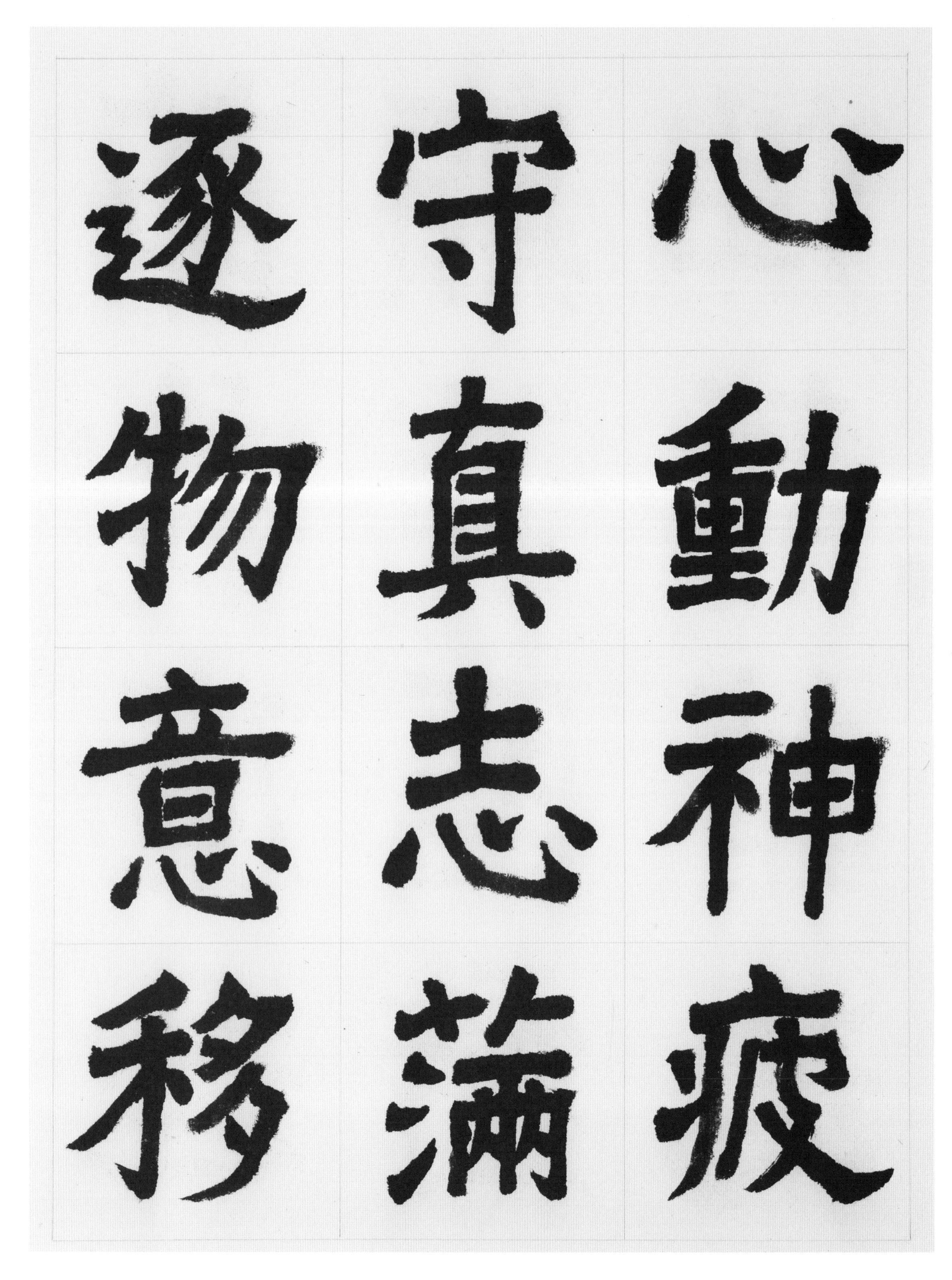

心 마음 **심** · 動 움직일 **동** · 神 귀신 **신** · 疲 피곤할 **피** / 守 지킬 **수** · 眞 참 **진** · 志 뜻 **지** · 滿 찰 **만** / 逐 쫓을 **축** · 物 만물 **물** · 意 뜻 **의** · 移 옮길 **이**

堅 굳을 **견** · 持 가질 **지** · 雅 우아할 **아** · 操 잡을 **조** / 好 좋을 **호** · 爵 벼슬 **작** · 自 스스로 **자** · 縻 얽을 **미** / 都 도읍 **도** · 邑 고을 **읍** · 華 빛날 **화** · 夏 여름 **하**

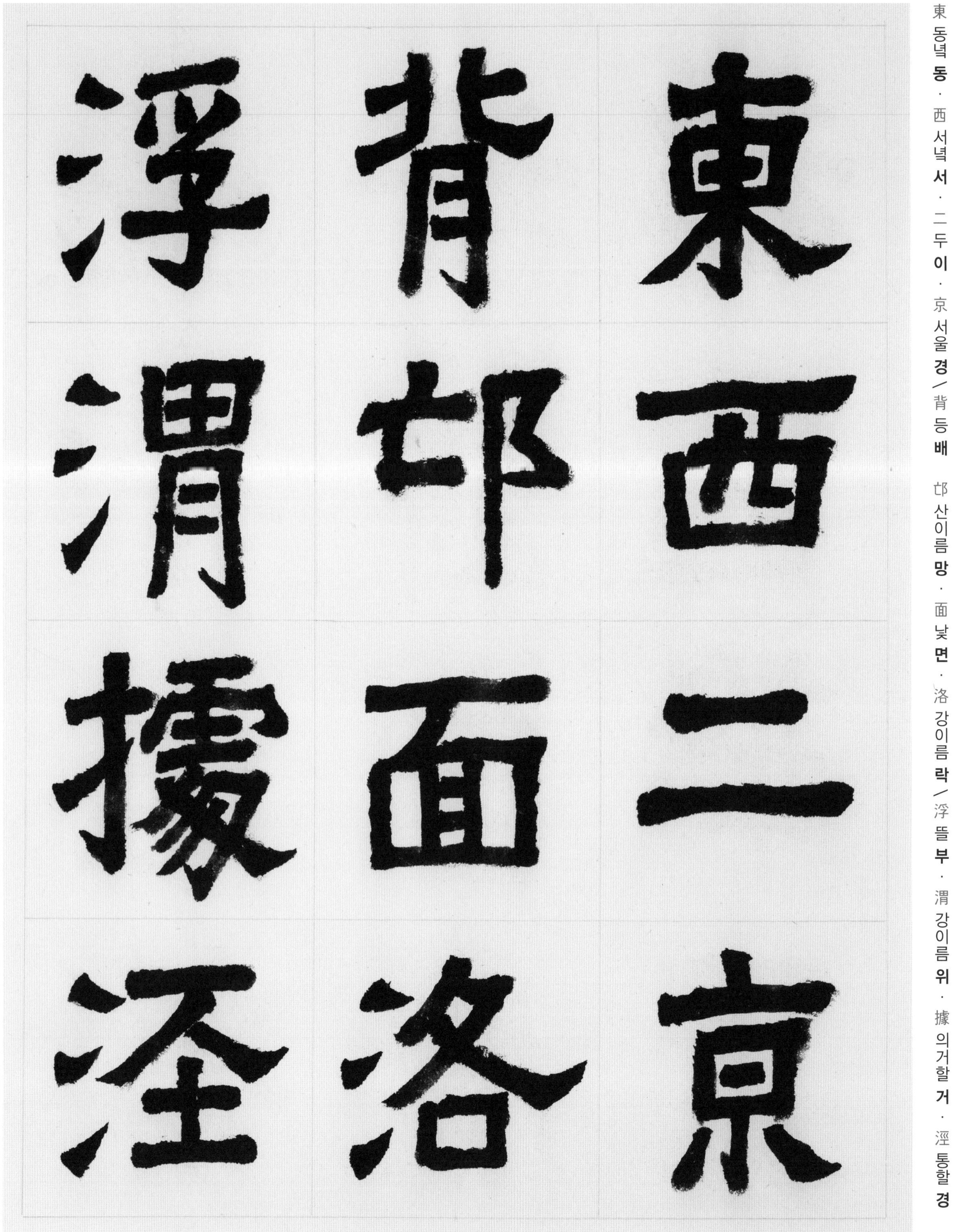

東 동녘 **동** · 西 서녘 **서** · 二 두 **이** · 京 서울 **경** / 背 등 **배** 邙 산이름 **망** · 面 낯 **면** · 洛 강이름 **락** / 浮 뜰 **부** · 渭 강이름 **위** · 據 의거할 **거** · 涇 통할 **경**

宮 집 **궁** · 殿 큰집 **전** · 盤 서릴 **반** · 鬱 답답 **울**／樓 다락 **루** · 觀 볼 **관** · 飛 날 **비** · 驚 놀랄 **경**／圖 그림 **도** · 寫 베낄 **사** · 禽 날짐승 **금** · 獸 짐승 **수**

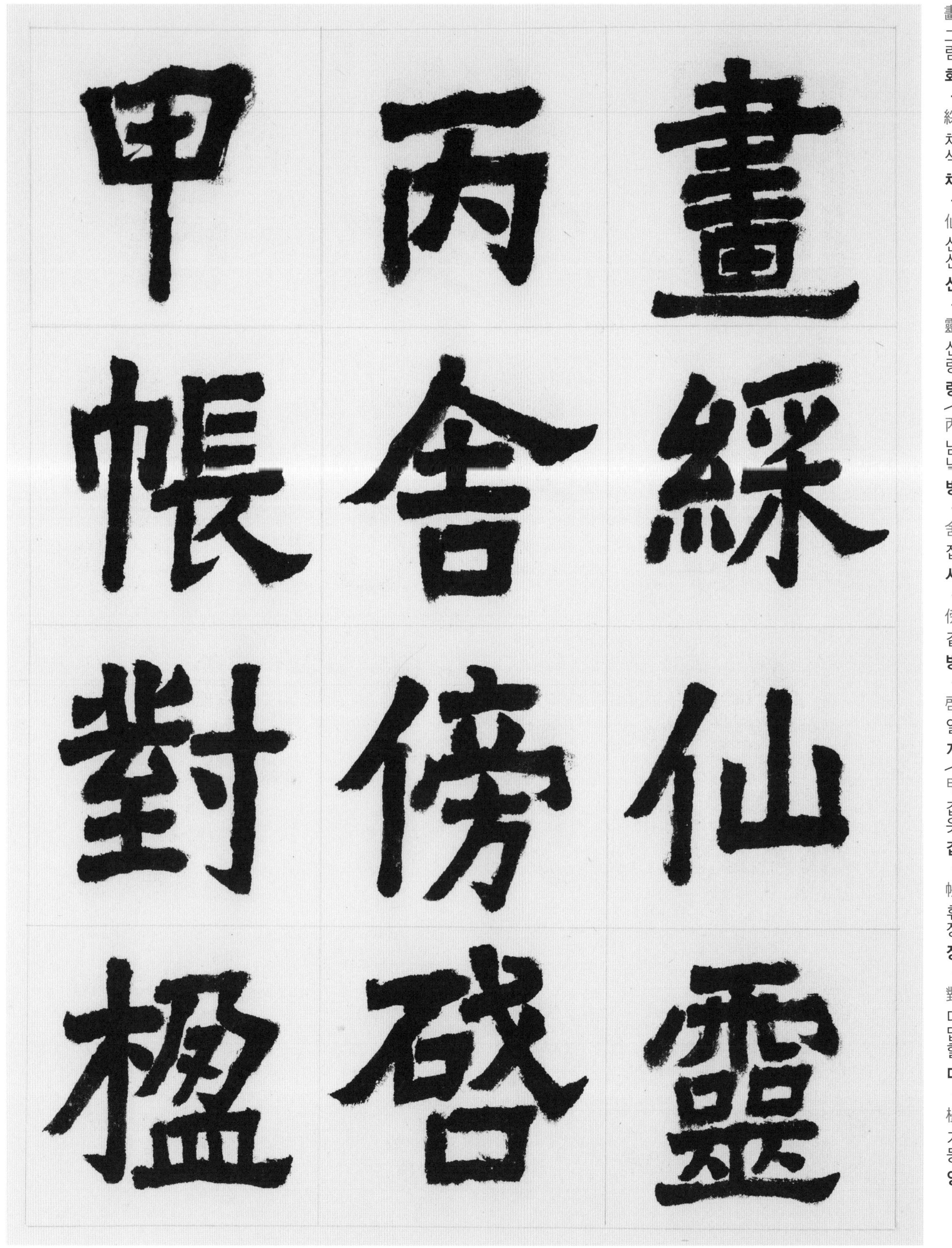

畫 그림 **화** · 綵 채색 **채** · 仙 신선 **선** · 靈 신령 **령** / 丙 남녘 **병** · 舍 집 **사** · 傍 곁 **방** · 啓 열 **계** / 甲 갑옷 **갑** · 帳 휘장 **장** · 對 대답할 **대** · 楹 기둥 **영**

肆 베풀 **사** · 筵 자리 **연** · 設 베풀 **설** · 席 자리 **석** / 鼓 북 **고** · 瑟 비파 **슬** · 吹 불 **취** · 笙 생황 **생** / 升 오를 **승** · 階 뜰 **계** · 納 바칠 **납** · 陛 섬돌 **폐**

弁 고깔 **변** · 轉 구를 **전** · 疑 의심할 **의** · 星 별 **성** / 右 오른 **우** · 通 통할 **통** · 廣 넓을 **광** · 內 안 **내** / 左 왼 **좌** · 達 통달할 **달** · 承 이을 **승** · 明 밝을 **명**

既 이미 **기** · 集 모을 **집** · 墳 무덤 **분** · 典 법 **전** / 亦 또 **역** · 聚 모을 **취** · 群 무리 **군** · 英 꽃부리 **영** / 杜 막을 **두** · 稿 볏짚 **고** · 鍾 쇠북 **종** · 隸 글씨 **례**

漆 옻칠할 **칠** · 書 글씨 **서** · 壁 벽 **벽** · 經 날 **경** / 府 마을 **부** · 羅 벌릴 **라** · 將 장수 **장** · 相 서로 **상** / 路 길 **로** · 夾 낄 **협** · 槐 괴화나무 **괴** · 卿 벼슬 **경**

戶 지게 **호** · 封 봉할 **봉** · 八 여덟 **팔** · 縣 고을 **현** / 家 집 **가** · 給 줄 **급** · 千 일천 **천** · 兵 군사 **병** / 高 높을 **고** · 冠 갓 **관** · 陪 더할 **배** · 輦 손수레 **련**

驅轂振纓世祿侈富車駕肥輕

驅 몰 **구** · 轂 바퀴 **곡** · 振 떨친 **진** · 纓 끈 **영** / 世 세상 **세** 祿 녹 **록** · 侈 사치할 **치** · 富 부자 **부** / 車 수레 **거** · 駕 멍에 **가** · 肥 살찔 **비** · 輕 가벼울 **경**

策 꾀 **책** · 功 공 **공** · 茂 무성할 **무** · 實 열매 **실** / 勒 굴레 **륵** · 碑 비석 **비** · 刻 새길 **각** · 銘 새길 **명** / 磻 강이름 **반** · 溪 시내 **계** · 伊 저 **이** · 尹 다스릴 **윤**

佐 도울 **좌** · 時 때 **시** · 阿 언덕 **아** · 衡 저울대 **형** / 奄 문득 **엄** · 宅 집 **택** · 曲 굽을 **곡** · 阜 언덕 **부** / 微 작을 **미** · 旦 아침 **단** · 孰 누구 **숙** · 營 경영 **영**

桓 굳셀 **환** · 公 공변될 **공** · 匡 바를 **광** · 合 모을 **합** / 濟 건널 **제** · 弱 약할 **약** · 扶 도울 **부** · 傾 기울 **경** / 綺 비단 **기** · 迴 돌아올 **회** · 漢 한수 **한** · 惠 은혜 **혜**

設 말씀 **설** · 感 느낄 **감** · 武 호반 **무** · 丁 고무래 **정**／俊 준걸 **준** · 乂 어질 **예** · 密 빽빽할 **밀** · 勿 말 **물**／多 많을 **다** · 士 선비 **사** · 寔 이 **식** · 寧 편안 **녕**

晉 나라 **진** · 楚 나라 **초** · 更 고칠 **경** · 霸 으뜸 **패**/趙 나라 **조** · 魏 나라 **위** · 困 곤할 **곤** · 橫 비낄 **횡**/假 거짓 **가** · 途 길 **도** · 滅 멸할 **멸** · 虢 나라 **괵**

踐 밟을 **천** · 土 흙 **토** · 會 모일 **회** · 盟 맹세 **맹** / 何 어찌 **하** · 遵 좇을 **준** · 約 약속할 **약** · 法 법 **법** / 韓 나라 **한** · 弊 해질 **폐** · 煩 번거로울 **번** · 刑 형벌 **형**

起 일어날 **기** · 翦 갈길 **전** · 頗 자못 **파** · 牧 칠 **목** / 用 쓸 **용** · 軍 군사 **군** · 最 가장 **최** · 精 정할 **정** / 宣 베풀 **선** · 威 위엄 **위** · 沙 모래 **사** · 漠 아득할 **막**

馳 달릴 **치** · 譽 칭찬할 **예** · 丹 붉을 **단** · 靑 푸를 **청**/九 아홉 **구** · 州 고을 **주** · 禹 하우씨 **우** · 跡 자취 **적**/百 일백 **백** · 郡 고을 **군** · 秦 나라 **진** · 并 아우를 **병**

嶽 산마루 **악** · 宗 마루 **종** · 恒 항상 **항** · 岱 뫼 **대**/禪 터닦을 **선** · 主 임금 **주** · 云 이를 **운** · 亭 정자 **정**/雁 기러기 **안** · 門 문 **문** · 紫 붉을 **자** · 塞 변방 **새**

鷄 닭 **계** · 田 밭 **전** · 赤 붉을 **적** · 城 성 **성** / 昆 맏 **곤** · 池 못 **지** · 碣 돌 **갈** · 石 돌 **석** / 鉅 클 **거** · 野 들 **야** · 洞 고을 **동** · 庭 뜰 **정**

曠 빌 **광** · 遠 멀 **원** · 綿 이어질 **면** · 邈 멀 **막** / 巖 바위 **암** · 岫 메뿌리 **수** · 杳 아득할 **묘** · 冥 어두울 **명** / 治 다스릴 **치** · 本 근본 **본** · 於 어조사 **어** · 農 농사 **농**

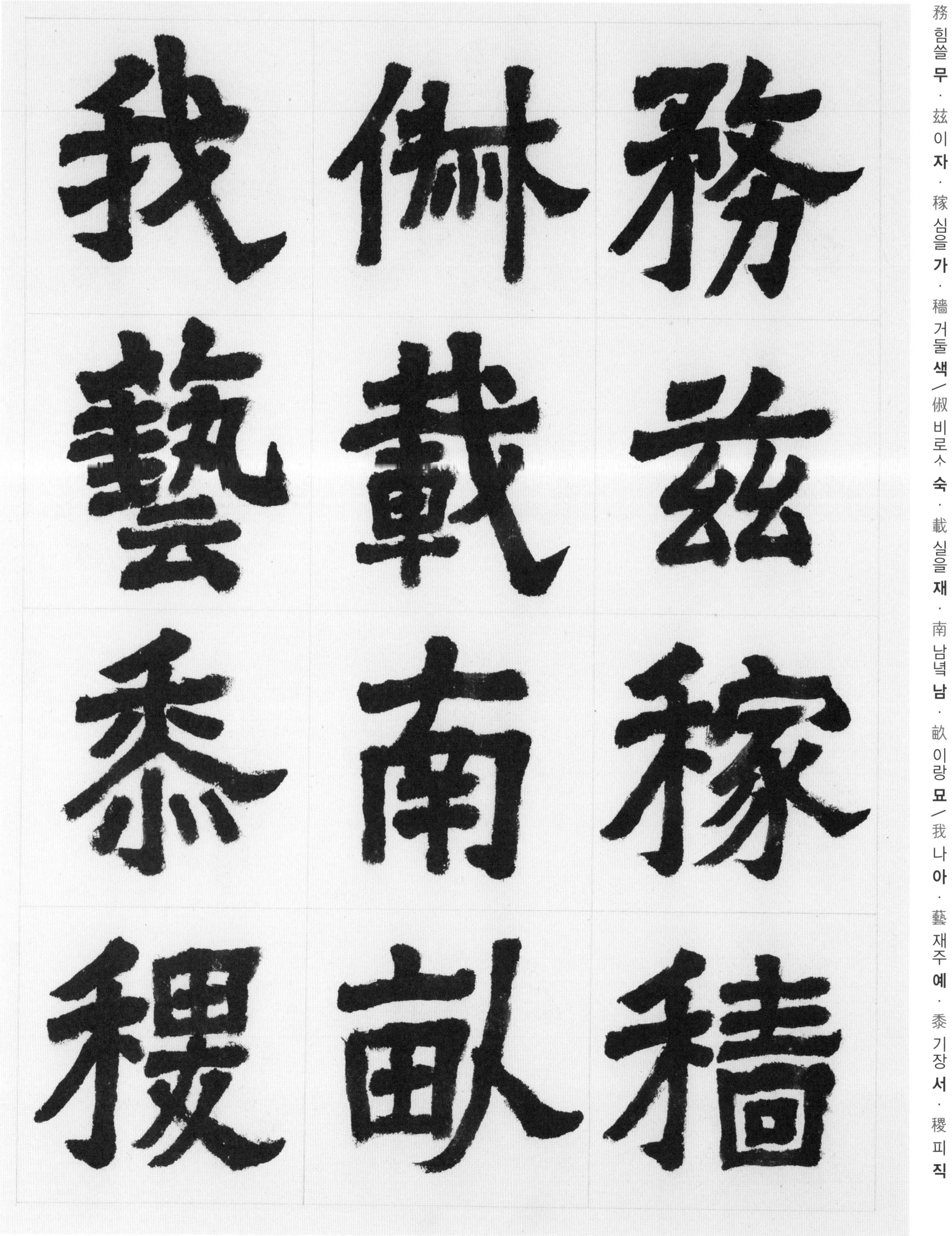

務 힘쓸 **무** · 玆 이 **자** · 稼 심을 **가** · 穡 거둘 **색** / 俶 비로소 **숙** · 載 실을 **재** · 南 남녘 **남** · 畝 이랑 **묘** / 我 나 **아** · 藝 재주 **예** · 黍 기장 **서** · 稷 피 **직**

稅 징수할 **세** · 熟 익을 **숙** · 貢 바칠 **공** · 新 새 **신** / 勸 권할 **권** · 賞 상줄 **상** · 黜 물리칠 **출** · 陟 오를 **척** / 孟 맏 **맹** · 軻 수레 **가** · 敦 도타울 **돈** · 素 흴 **소**

史 역사 **사** · 魚 물고기 **어** · 秉 잡을 **병** · 直 곧을 **직** / 庶 여러 **서** · 幾 몇 **기** · 中 가운데 **중** · 庸 떳떳 **용** / 勞 힘쓸 **로** · 謙 겸손 **겸** · 謹 삼갈 **근** · 勅 칙서 **칙**

聆 들을 **령** · 音 소리 **음** · 察 살필 **찰** · 理 다스릴 **리** / 鑑 거울 **감** · 貌 모양 **모** · 辨 분별 **변** · 色 빛 **색** / 貽 끼칠 **이** · 厥 그 **궐** · 嘉 아름다울 **가** · 猷 꾀 **유**

勉其祗植
躬譏誡
寵增抗極

勉 힘쓸 **면** · 其 그 **기** · 祗 공경 **지** · 植 심을 **식** / 省 살필 **성** · 躬 몸 **궁** · 譏 나무랄 **기** · 誡 경계 **계** / 寵 고일 **총** · 增 더할 **증** · 抗 저항할 **항** · 極 다할 **극**

殆 위태 **태** · 辱 욕할 **욕** · 近 가까울 **근** · 恥 부끄러울 **치** / 林 수풀 **림** · 皐 언덕 **고** · 幸 다행 **행** · 卽 곧 **즉** / 兩 두 **량** · 疏 상소할 **소** · 見 볼 **견** · 機 틀 **기**

解組誰逼

索居閑處

沉默寂寥

解 풀 **해** · 組 짤 **조** · 誰 누구 **수** · 逼 핍박할 **핍** / 索 찾을 **색** · 居 살 **거** · 閑 한가 **한** · 處 곳 **처** / 沈 잠길 **침** · 默 잠잠할 **묵** · 寂 고요할 **적** · 寥 고요 **요**

求 구할 **구** · 古 옛 **고** · 尋 찾을 **심** · 論 의논할 **론**／散 흩을 **산** · 慮 생각 **려** · 逍 거닐 **소** · 遙 멀 **요**／欣 기쁠 **흔** · 奏 아뢸 **주** · 累 여러 **루** · 遣 보낼 **견**

慼 謝 歡 招

渠 荷 的 歷

園 莽 抽 條

慼 슬플 **척** · 謝 사례 **사** · 歡 기뻐할 **환** · 招 부를 **초** / 渠 개천 **거** · 荷 연꽃 **하** · 的 과녁 **적** · 歷 지낼 **력** / 園 동산 **원** · 莽 풀 **망** · 抽 빼낼 **추** · 條 조목 **조**

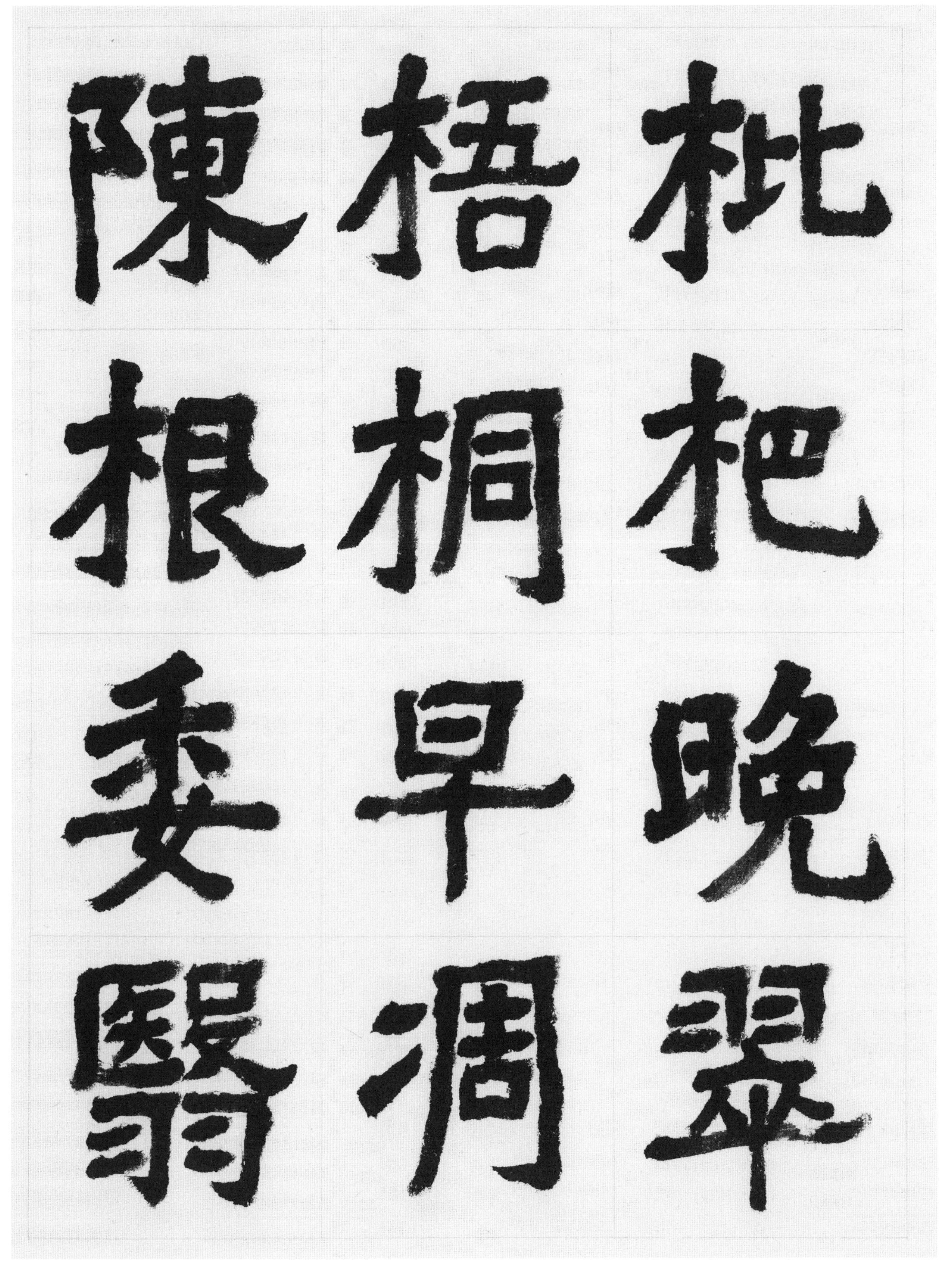

枇 비파나무 **비** · 杷 비파나무 **파** · 晩 늦을 **만** · 翠 푸를 **취**／梧 오동 **오** · 桐 오동 **동** · 早 이를 **조** · 凋 시들 **조**／陳 베풀 **진** · 根 뿌리 **근** · 委 맡길 **위** · 翳 가릴 **예**

落 떨어질 **락** · 葉 잎사귀 **엽** · 飄 날릴 **표** · 颻 날릴 **요** / 游 놀 **유** · 鵾 고니 **곤** · 獨 홀로 **독** · 運 운전 **운** / 凌 업신여길 **릉** · 摩 만질 **마** · 絳 붉을 **강** · 霄 하늘 **소**

耽 즐길 **탐** · 讀 읽을 **독** · 翫 가지고놀 **완** · 市 저자 **시** / 寓 붙일 **우** · 目 눈 **목** · 囊 주머니 **낭** · 箱 상자 **상** / 易 쉬울 **이** · 輶 가벼울 **유** · 攸 바 **유** · 畏 두려워할 **외**

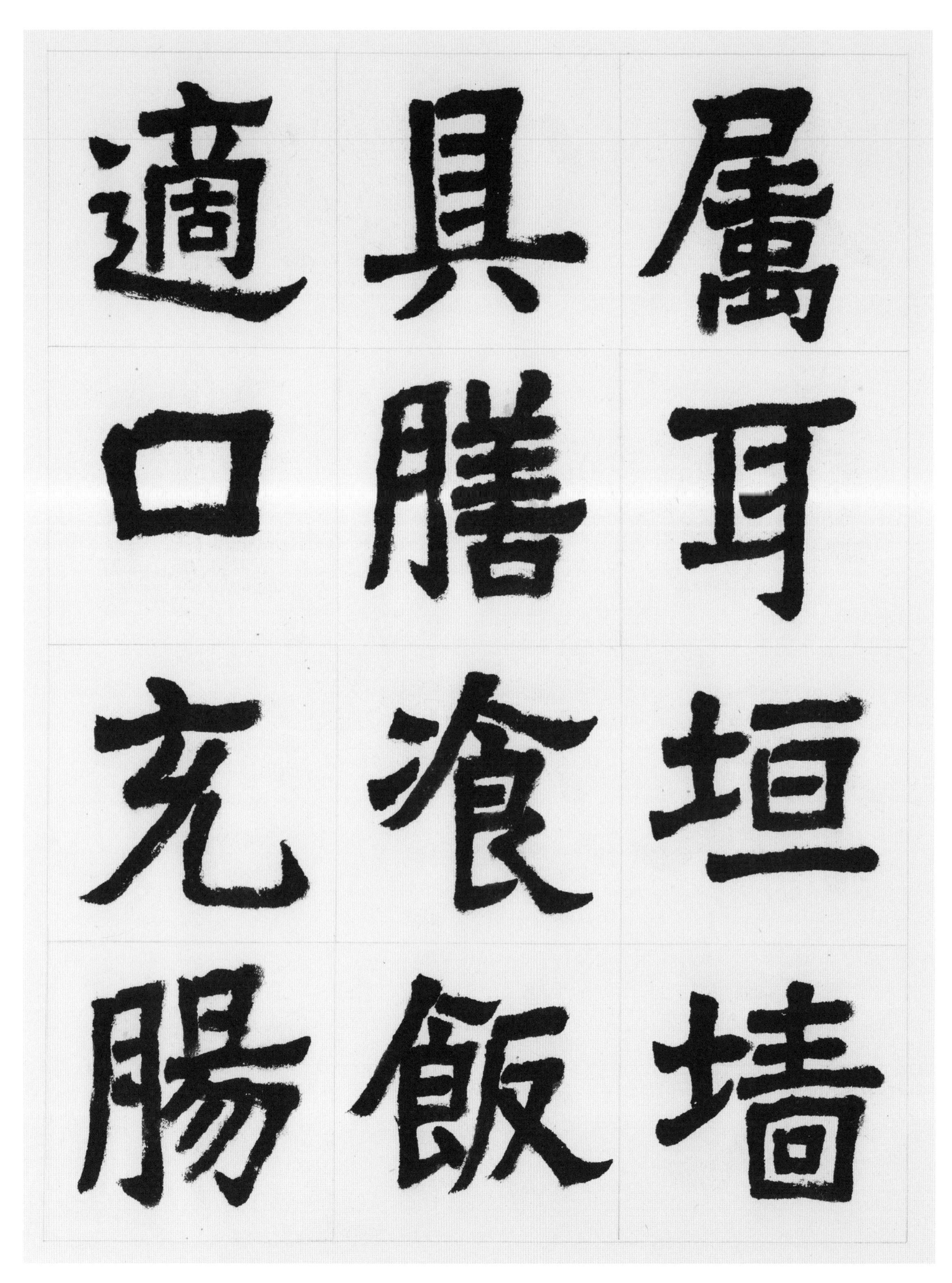

屬 붙을 **속** · 耳 귀 **이** · 垣 담 **원** · 墻 담 **장** / 具 갖출 **구** · 膳 반찬 **선** · 飡 밥 **손** · 飯 밥 **반** / 適 마침 **적** · 口 입 **구** · 充 채울 **충** · 腸 창자 **장**

飽 배부를 **포** · 飫 물릴 **어** · 烹 삶을 **팽** · 宰 재상 **재** / 饑 주릴 **기** · 厭 싫을 **염** · 糟 재강 **조** · 糠 겨 **강** / 親 친할 **친** · 戚 겨레 **척** · 故 연고 **고** · 舊 옛 **구**

老 늙을 **로** · 少 젊을 **소** · 異 다를 **이** · 糧 양식 **량**／妾 첩 **첩** · 御 모실 **어** · 績 길쌈 **적** · 紡 길쌈 **방**／侍 모실 **시** · 巾 수건 **건** · 帷 장막 **유** · 房 방 **방**

紈 흰비단 **환** · 扇 부채 **선** · 圓 둥글 **원** · 潔 깨끗할 **결**／銀 은 **은** · 燭 촛불 **촉** · 煒 밝을 **위** · 煌 빛날 **황**／晝 낮 **주** · 眠 잘 **면** · 夕 저녁 **석** · 寐 잘 **매**

藍 쪽 **람** · 筍 죽순 **순** · 象 코끼리 **상** · 床 상 **상** / 弦 줄 **현** · 歌 노래 **가** · 酒 술 **주** · 讌 잔치 **연** / 接 이을 **접** · 杯 잔 **배** · 擧 들 **거** · 觴 잔 **상**

矯 바로잡을 **교** · 手 손 **수** · 頓 두드릴 **돈** · 足 발 **족** / 悅 기쁠 **열** · 豫 미리 **예** · 且 또 **차** · 康 편안 **강** / 嫡 정실 **적** · 後 뒤 **후** · 嗣 이을 **사** · 續 이을 **속**

祭祀蒸嘗
稽顙再拜
悚懼恐惶

祭 제사 **제** · 祀 제사 **사** · 蒸 찔 **증** · 嘗 맛볼 **상**/稽 조아릴 **계** · 顙 이마 **상** · 再 둘 **재** · 拜 절 **배**/悚 두려워할 **송** · 懼 두려워할 **구** · 恐 두려워할 **공** · 惶 두려워할 **황**

牋 편지 **전** · 牒 편지 **첩** · 簡 편지 **간** · 要 중요 **요** / 顧 돌아볼 **고** · 答 대답 **답** · 審 살필 **심** · 詳 자세할 **상** / 骸 뼈 **해** · 垢 때 **구** · 想 생각할 **상** · 浴 목욕할 **욕**

執 잡을 **집** · 熱 더울 **열** · 願 원할 **원** · 涼 서늘할 **량**／驢 나귀 **려** · 騾 노새 **라** · 犢 송아지 **독** · 特 소 **특**／駭 놀랄 **해** · 躍 뛸 **약** · 超 뛰어넘을 **초** · 驤 달릴 **양**

誅 벨 **주** · 斬 벨 **참** · 賊 도적 **적** · 盜 도적 **도** / 捕 잡을 **포** · 獲 얻을 **획** · 叛 배반할 **반** · 亡 망할 **망** / 布 베 **포** · 射 쏠 **사** · 遼 멀 **료** · 丸 알 **환**

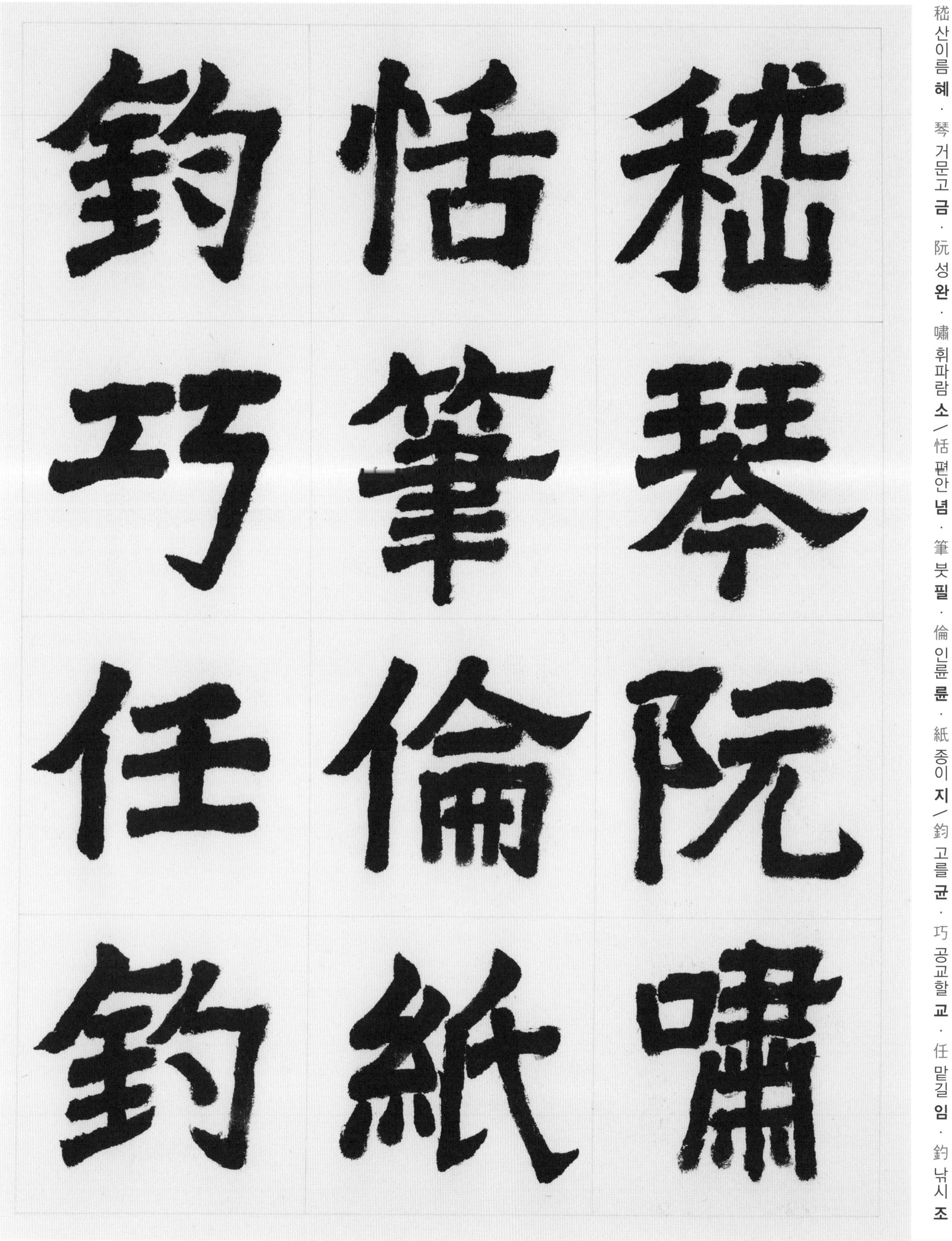

嵇 산이름 **혜** · 琴 거문고 **금** · 阮 성 **완** · 嘯 휘파람 **소** / 恬 편안 **념** · 筆 붓 **필** · 倫 인륜 **륜** · 紙 종이 **지** / 鈞 고를 **균** · 巧 공교할 **교** · 任 맡길 **임** · 釣 낚시 **조**

釋 놓을 **석** · 紛 어지러울 **분** · 利 이로울 **리** · 俗 풍속 **속** / 竝 아우를 **병** · 皆 다 **개** · 佳 아름다울 **가** · 妙 묘할 **묘** / 毛 털 **모** · 施 베풀 **시** · 淑 맑을 **숙** · 姿 모양 **자**

工 嚬 妍 笑
年 矢 每 催
羲 暉 朗 曜

工 장인 **공** · 嚬 찡그릴 **빈** · 妍 고울 **연** · 笑 웃을 **소** / 年 해 **년** · 矢 화살 **시** · 每 매양 **매** · 催 재촉 **최** / 羲 복희 **희** · 暉 빛날 **휘** · 朗 밝을 **랑** · 曜 빛날 **요**

璇 구슬 **선** · 璣 구슬 **기** · 懸 달 **현** · 斡 빙빙돌 **알**／晦 그믐 **회** · 魄 넋 **맥** · 環 고리 **환** · 照 비칠 **조**／指 손가락 **지** · 薪 섶나무 **신** · 修 닦을 **수** · 祐 복 **우**

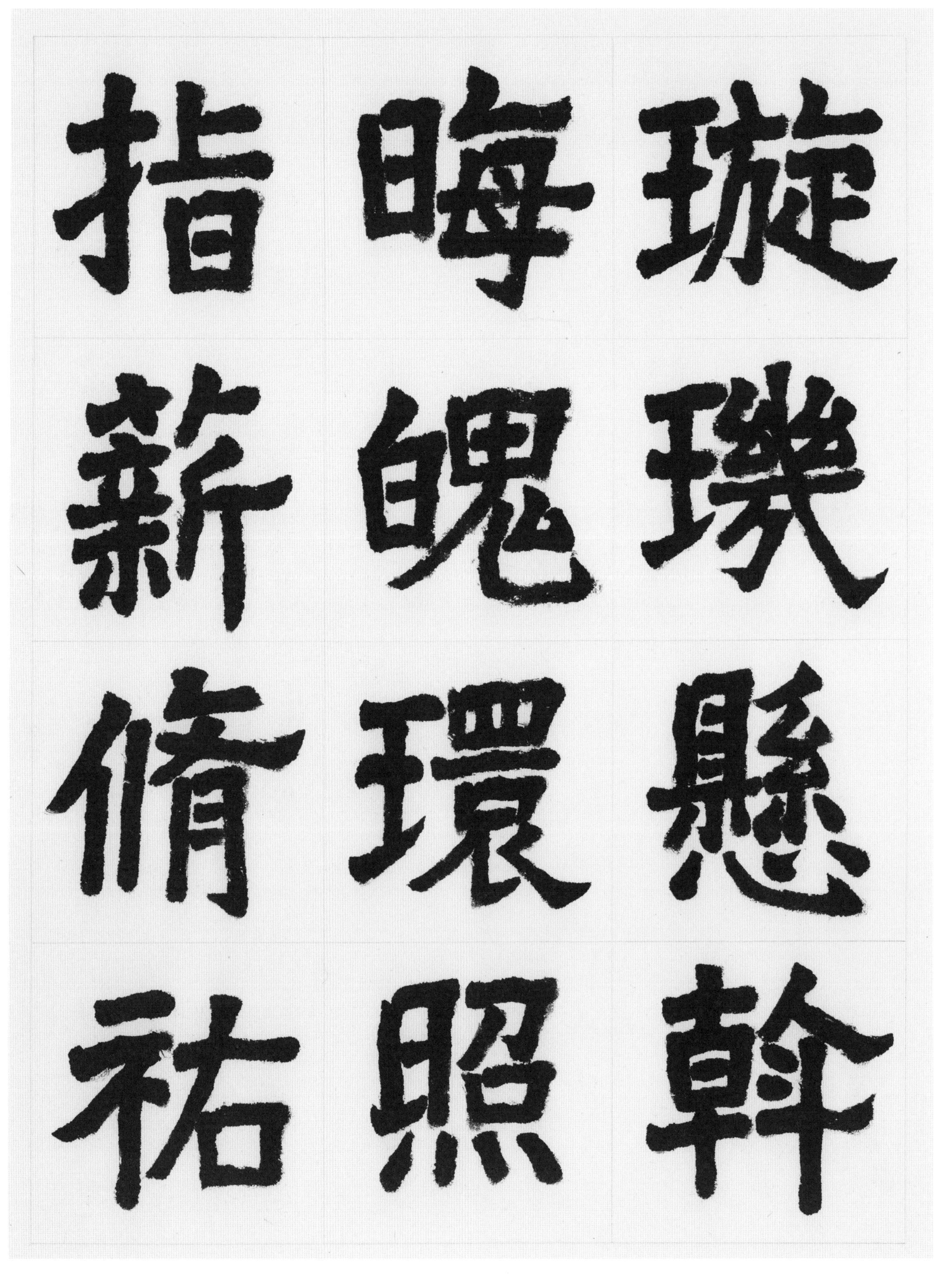

永 綏 吉 邵
矩 步 引 領
俯 仰 廊 廟

永 길 **영** · 綏 편안 **수** · 吉 길할 **길** · 邵 높을 **소** / 矩 법 **구** 步 걸음 **보** · 引 끌 **인** · 領 거느릴 **령** / 俯 굽을 **부** · 仰 우러를 **앙** · 廊 행랑 **랑** · 廟 사당 **묘**

束 묶을 속 · 帶 띠 대 · 矜 자랑 긍 · 莊 씩씩할 장／徘 배회 배 · 徊 배회 회 · 瞻 쳐다볼 첨 · 眺 바라볼 조／孤 외로울 고 · 陋 더러울 루 · 寡 적을 과 · 聞 들을 문

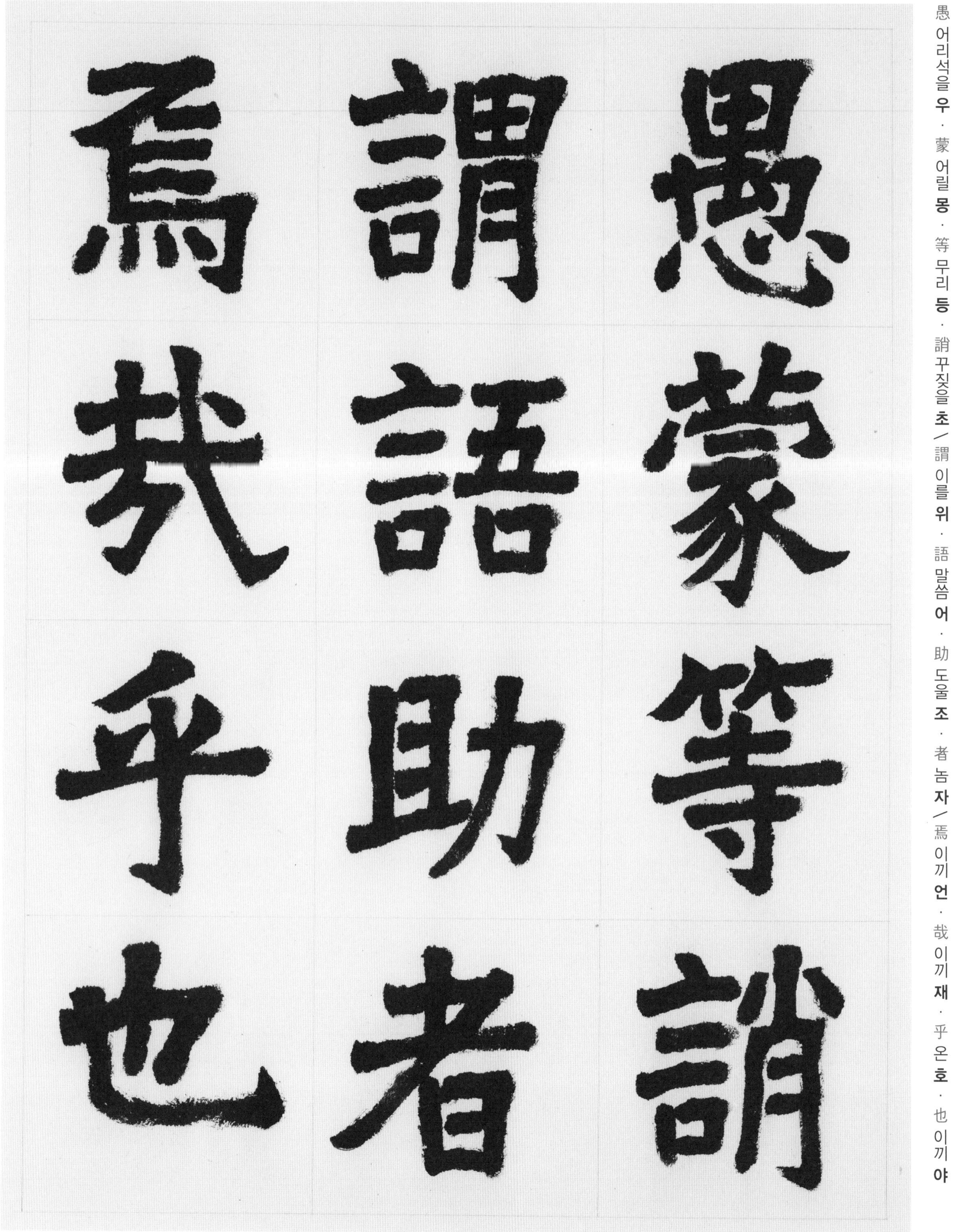

愚 어리석을 **우** · 蒙 어릴 **몽** · 等 무리 **등** · 誚 꾸짖을 **초** / 謂 이를 **위** · 語 말씀 **어** · 助 도울 **조** · 者 놈 **자** / 焉 이끼 **언** · 哉 이끼 **재** · 乎 온 **호** · 也 이끼 **야**

을해년 유월에 양런카이 선생의 서실 목우루沐雨樓에서 이동천이 스물아홉 살 때 쓰다

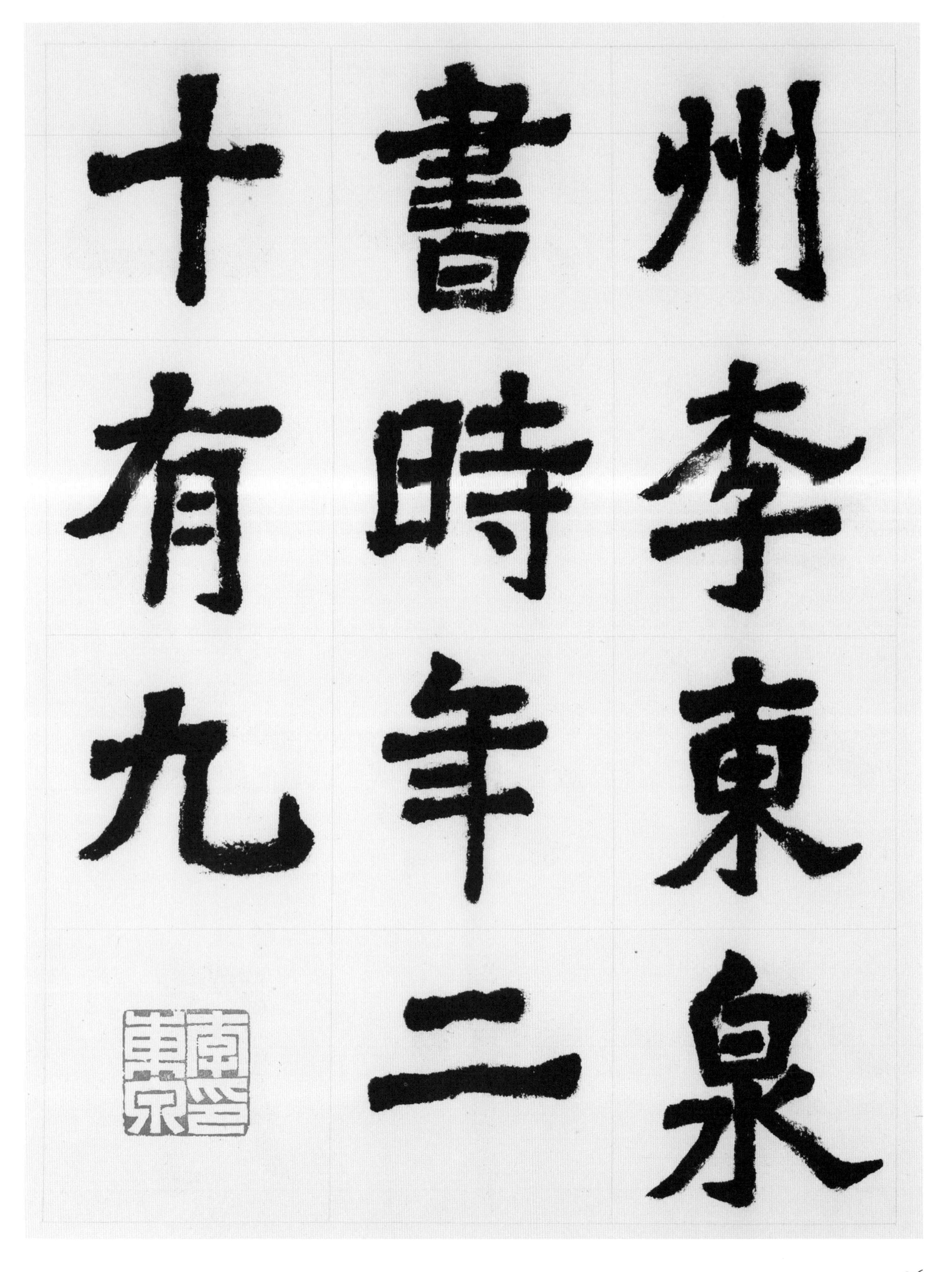
州李東泉
書時年二
十有九

◇ 당신은 언제나 옳습니다. 그대의 삶을 응원합니다. – 라의눈출판그룹

이동천 위체서 천자문

초판 1쇄 | 2023년 2월 21일

지은이 | 이동천
펴낸이 | 설응도
편집주간 | 안은주
영업책임 | 민경업

펴낸곳 | 라의눈

출판등록 | 2014년 1월 13일(제2019–000228호)
주소 | 서울시 강남구 테헤란로78길 14–12(대치동) 동영빌딩 4층
전화 | 02–466–1283　　팩스 | 02–466–1301

문의(e–mail)　편집 | editor@eyeofra.co.kr
영업마케팅 | marketing@eyeofra.co.kr
경영지원 | management@eyeofra.co.kr

ISBN 979–11–92151–45–8 03640